© Flammarion, 2007
Éditions Flammarion – 87, quai Panhard-et-Levassor, 75647 Paris cedex 13
ISBN : 978-2-0812-0106-4

A. Telier

L'IMAGIER
du PÈRE CASTOR

Illustrations :

Michel Boucher
Christian Broutin
Kersti Chaplet
Pascale Collange
Marie-Marthe Collin
Patricia Franquin
Maryse Graticola
Noëlle Herrenschmidt
Sandrine Herrenschmidt
Bruno Le Sourd
Marguerite Pasotti
Romain Simon
Pascale Wirth

Père Castor ■ Flammarion

Voici le livre pour accompagner les petits dès le premier âge. Dès un an, ils prendront plaisir à y reconnaître les choses et les bêtes qui les entourent, et à les nommer. Peu à peu, l'Imagier du Père Castor leur apprendra à s'exprimer avec aisance, aiguisera leur intelligence et enrichira leur vocabulaire. Puis, à travers des jeux toujours nouveaux, il étendra progressivement leurs connaissances.

Laissez-les, tout d'abord, feuilleter l'Imagier et s'émerveiller des découvertes qu'ils y feront. En présence des images, leurs goûts et leurs intérêts, leurs connaissances et leurs lacunes se révéleront d'une façon souvent saisissante. Laissez-vous guider par eux, en répondant simplement à leurs questions et en les encourageant à s'exprimer librement.

L'Imagier du Père Castor est le résultat d'un long travail fondé sur la conviction que les premières images placées sous les yeux des enfants, exercent une influence capitale sur le développement de leur sensibilité, de leur goût, de leur jugement, et qu'on ne saurait apporter trop de soin à leur réalisation.

Voici quelques propositions de jeux qui vous permettront d'accompagner votre enfant dans ses découvertes.

CHERCHE DANS LE LIVRE :

- des jouets, des meubles, des voitures, des instruments de musique, etc.
- les objets rouges, jaunes, verts, etc.

- ce qu'il faut pour écrire, dessiner, faire sa toilette.
- des bêtes qui vivent dans la mer, dans l'air, sur terre, qui ont des ailes, des poils, des plumes...

QU'Y A-T-IL DANS :
le biberon ? l'aquarium ? la cage ? ...

À QUOI SERT :
le couteau ? la montre ? la grue ? la scie ? la pelleteuse ? ...

DEVINETTES
Ayant ouvert l'Imagier devant l'enfant, décrivez sans la désigner ni la nommer, une des quatre images qu'il a sous les yeux (ou bien n'importe quelle image du livre).
- c'est une bête qui a quatre pattes, des sabots et de longues oreilles.
- c'est un fruit jaune, une fleur qui pique, etc.

L'enfant cherche l'image en regardant la double page ou en feuilletant l'Imagier. Bientôt pris au jeu, il posera lui-même des devinettes.

JEUX POUR APPRENDRE À LIRE
Pour les plus grands, le nom et l'article défini imprimés en deux graphies sous chaque image peuvent être l'occasion de nouveaux jeux. L'enfant peut s'amuser à les recopier, à les déchiffrer...

Sommaire

le body ▪ le body

le bavoir ▪ le bavoir

la chaussette ■ *la chaussette*

le maillot
de corps ■ *le maillot
de corps*

la salopette ∎ *la salopette*

la chaussure ∎ *la chaussure*

le dors-bien ▪ *le dors-bien*

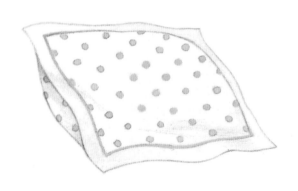

l'oreiller ▪ *l'oreiller*

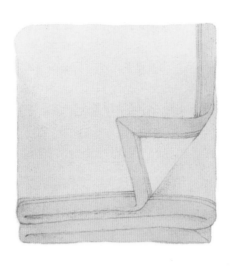

la couverture ∎ la couverture

la gigoteuse ∎ la gigoteuse

le transat ■ *le transat*

le couffin ■ *le couffin*

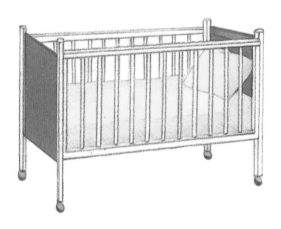

le lit ■ le lit

la poussette ■ la poussette

le peigne ▪ *le peigne*

la brosse ▪ *la brosse*

le pot ■ *le pot*

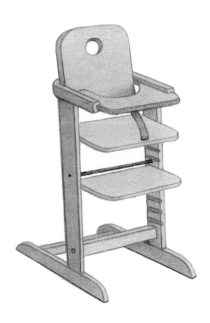

la chaise haute ■ *la chaise haute*

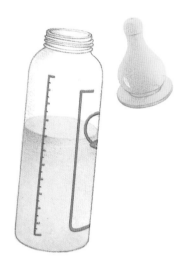

le biberon ■ *le biberon*

le petit pot ■ *le petit pot*

le biscuit ▪ le biscuit

le yaourt ▪ le yaourt

le tapis d'éveil ▪ le tapis d'éveil

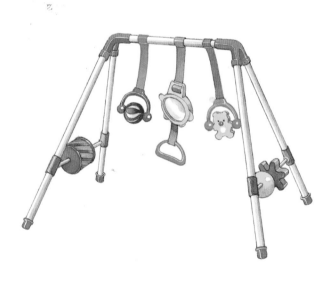

le portique ▪ le portique

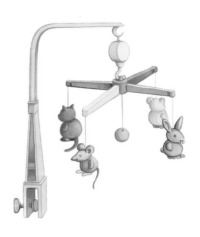

le mobile ■ *le mobile*

le parc ■ *le parc*

la pelle ■ *la pelle*

le camion ■ *le camion*

la balle ■ *la balle*

le seau ■ *le seau*

la poupée ∎ *la poupée*

l'ours
en peluche ∎ *l'ours*
en peluche

Les grands

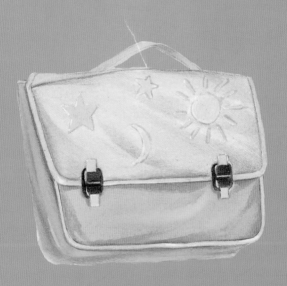

la culotte  *la culotte*

le bermuda ▪ *le bermuda*

la chaussette ■ *la chaussette*

le slip ■ *le slip*

le pantalon ▪ *le pantalon*

le jogging ▪ *le jogging*

la jupe ■ *la jupe*

la robe ■ *la robe*

la moufle ▪ *la moufle*

le bonnet ▪ *le bonnet*

le gant  le gant

l'écharpe ▪ l'écharpe

la botte ▪ la botte

la sandale ▪ la sandale

le chausson ▪ *le chausson*

la tennis ▪ *la tennis*

la chemise ▪ *la chemise*

le tee-shirt ▪ *le tee-shirt*

le gilet ■ *le gilet*

le pull ■ *le pull*

le coupe-vent ■ le coupe-vent

la doudoune ■ la doudoune

le blouson ▪ *le blouson*

la parka ▪ *la parka*

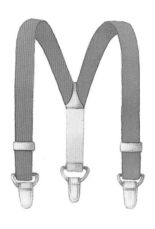

les bretelles ▪ *les bretelles*

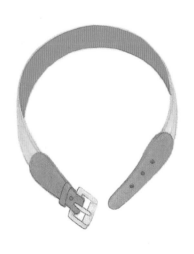

la ceinture ▪ *la ceinture*

le collant ▪ *le collant*

la casquette ▪ *la casquette*

le pyjama ▪ *le pyjama*

la chemise
de nuit ▪ *la chemise*
de nuit

le peignoir
de bain ▪ le peignoir
de bain

le maillot
de bain ▪ le maillot
de bain

la balançoire ▪ *la balançoire*

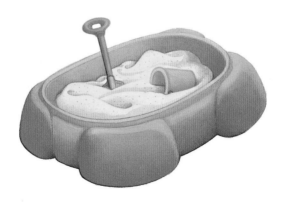

le bac à sable ▪ *le bac à sable*

le toboggan ■ le toboggan

la piscine ■ la piscine

le cerf-volant ■ le cerf-volant

les raquettes ■ les raquettes

le ballon ▪ *le ballon*

la corde ▪ *la corde*
à sauter   *à sauter*

le vélo ■ le vélo

la trottinette ■ la trottinette

le tricycle ▪ le tricycle

le roller ▪ le roller

l'harmonica ▪ *l'harmonica*

le tambourin ▪ *le tambourin*

le xylophone ■ le xylophone

la trompette ■ la trompette

la boîte
de peinture ∎ *la boîte de peinture*

la blouse
de peinture ∎ *la blouse de peinture*

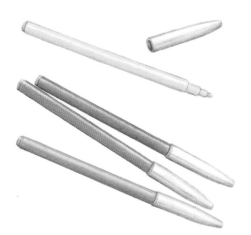

les feutres
de couleur ■ les feutres
de couleur

les crayons
de couleur ■ les crayons
de couleur

53

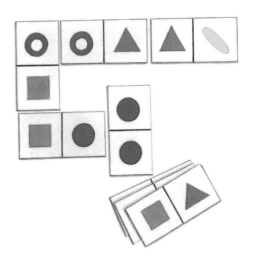

les dominos ∎ *les dominos*

le livre
d'images ∎ *le livre*
d'images

le puzzle ■ *le puzzle*

les perles ■ *les perles*

le cahier ▪ *le cahier*

le cartable ▪ *le cartable*

À la maison

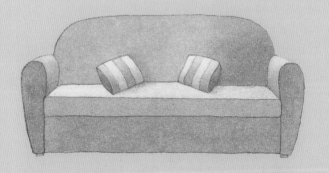

la maison ▪ *la maison*

l'immeuble ▪ *l'immeuble*

la porte ∎ *la porte*

la fenêtre ∎ *la fenêtre*

la clé  la clé

l'escalier  l'escalier

la sonnette ▪ la sonnette

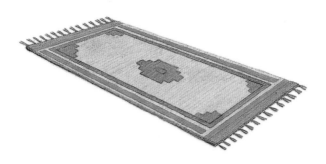

le tapis ▪ le tapis

le canapé ▪ *le canapé*

la table ▪ *la table*

le fauteuil ▪ *le fauteuil*

la chaise ▪ *la chaise*

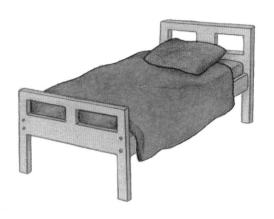

le lit ▪ *le lit*

la commode ▪ *la commode*

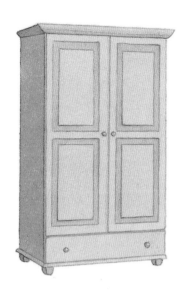

l'armoire  *l'armoire*

le tabouret *le tabouret*

la bibliothèque ∎ la bibliothèque

le journal ∎ le journal

le livre ▪ *le livre*

les lunettes ▪ *les lunettes*

l'aquarium ▪ *l'aquarium*

la cage ▪ *la cage*

la lampe ▪ la lampe

l'ampoule ▪ l'ampoule

la bûche ▪ la bûche

la cheminée ▪ la cheminée

le feu ▪ *le feu*

l'allumette ▪ *l'allumette*

la corbeille
à papier

la corbeille
à papier

le parapluie *le parapluie*

le porte-
monnaie

*le porte-
monnaie*

l'appareil photo *l'appareil photo*

la télévision ■ *la télévision*

l'ordinateur ■ *l'ordinateur*

le téléphone  le téléphone

le téléphone
portable  le téléphone
portable

75

la boîte
aux lettres

la boîte
aux lettres

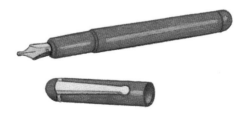

le stylo le stylo

la lettre ▪ *la lettre*

le bâton
de colle ▪ *le bâton
de colle*

le crayon ▪ le crayon

le taille-crayon ▪ le taille-crayon

la gomme ▪ la gomme

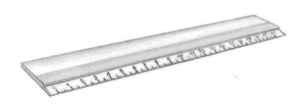

la règle ▪ la règle

le piano ■ le piano

la guitare ■ la guitare

la flûte ▮ *la flûte*

le violon ▮ *le violon*

le bracelet ■ le bracelet

la bague ■ la bague

le collier ▪ le collier

la montre ▪ la montre

le réveil ■ le réveil

le cintre ■ le cintre

le vase ■ le vase

le bouquet ■ le bouquet

la valise ▪ *la valise*

le sac à dos ▪ *le sac à dos*

Dans la cuisine et la salle de bains

le fer
à repasser

le fer
à repasser

la pince
à linge

la pince
à linge

le torchon ■ *le torchon*

la bassine ■ *la bassine*

l'évier ▪ *l'évier*

le robinet ▪ *le robinet*

la cuisinière ▪ *la cuisinière*

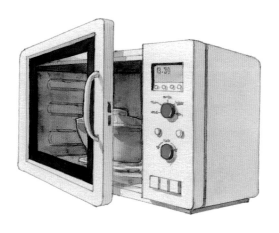

le four
à micro-ondes ▪ *le four
à micro-ondes*

le lave-linge ■ *le lave-linge*

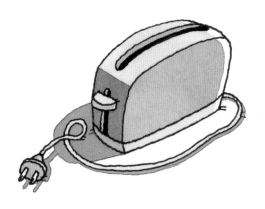

le grille-pain ■ *le grille-pain*

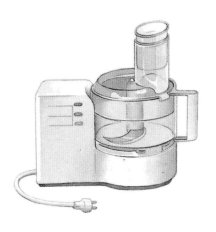

le robot
ménager

le robot
ménager

l'aspirateur l'aspirateur

le réfrigérateur ▪ *le réfrigérateur*

la casserole ▪ *la casserole*

la poêle ▪ *la poêle*

la Cocotte-
Minute ▪ *la Cocotte-*
Minute

la passoire ▪ *la passoire*

la balance ▪ *la balance*

le panier ■ le panier

la pendule ■ la pendule

la nappe ▪ *la nappe*

la serviette
de table ▪ *la serviette
de table*

le balai ∎ *le balai*

la poubelle ∎ *la poubelle*

le tire-bouchon ▪ le tire-bouchon

le décapsuleur ▪ le décapsuleur

le verre ▪ *le verre*

la bouteille ▪ *la bouteille*

la cafetière ▪ *la cafetière*

la bouilloire ▪ *la bouilloire*

le bol ▪ le bol

la tasse ▪ la tasse

la carafe ■ *la carafe*

la gourde ■ *la gourde*

la théière ▪ *la théière*

le coquetier ▪ *le coquetier*

le moule ▪ *le moule*

le saladier ▪ *le saladier*

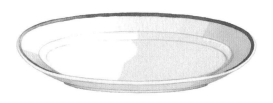

le plat ▪ *le plat*

l'assiette ▪ *l'assiette*

le couteau ▪ le couteau

la fourchette ▪ la fourchette

la cuillère ▪ *la cuillère*

la louche ▪ *la louche*

le gant
de toilette   *le gant de toilette*

la serviette
de toilette   *la serviette de toilette*

la brosse à ongles ■ *la brosse à ongles*

le savon ■ *le savon*

les toilettes
ou W.-C. ■ *les toilettes ou W.-C.*

le lavabo ■ *le lavabo*

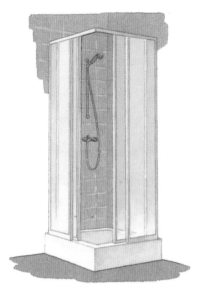

la douche ■ la douche

la baignoire ■ la baignoire

le pansement ∎ *le pansement*

le thermomètre ∎ *le thermomètre*

le sèche-cheveux ▪ le sèche-cheveux

le miroir ▪ le miroir

la brosse à dents ▪ *la brosse à dents*

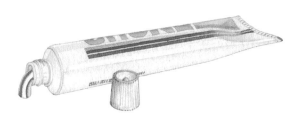

le dentifrice ▪ *le dentifrice*

Les outils

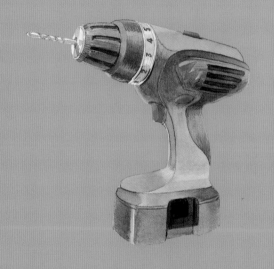

la pelote
de laine ▪ la pelote
de laine

la bobine de fil ▪ la bobine de fil

le bouton  le bouton

l'épingle
double

l'épingle
double

les ciseaux ■ *les ciseaux*

le dé à coudre ■ *le dé à coudre*

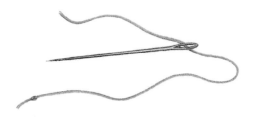

l'aiguille ■ *l'aiguille*

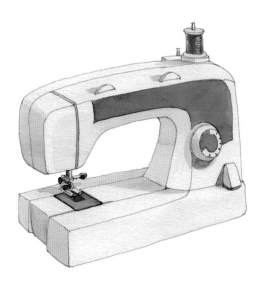

la machine
à coudre ■ *la machine
à coudre*

l'échelle ▪ *l'échelle*

l'escabeau ▪ *l'escabeau*

l'établi ∎ *l'établi*

la caisse
à outils ∎ *la caisse
à outils*

la tenaille ▪ *la tenaille*

le marteau ▪ *le marteau*

le clou ▪ le clou

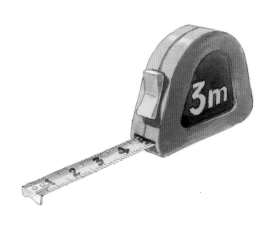

le mètre ▪ le mètre

la perceuse ▪ la perceuse

le tournevis ▪ le tournevis

la vis ▪ *la vis*

la scie ▪ *la scie*

la lampe de poche ∎ la lampe de poche

le sécateur ∎ le sécateur

la hache ▪ *la hache*

la tondeuse
à gazon ▪ *la tondeuse
à gazon*

le râteau ▪ *le râteau*

la bêche ▪ *la bêche*

le plantoir ▪ *le plantoir*

l'arrosoir ▪ *l'arrosoir*

le tuyau
d'arrosage ▪ *le tuyau
d'arrosage*

la brouette ▪ *la brouette*

La nourriture

le croissant ▪ *le croissant*

le pain
au chocolat ▪ *le pain
au chocolat*

la confiture ▪ la confiture

la tartine ▪ la tartine

le café ▪ le café

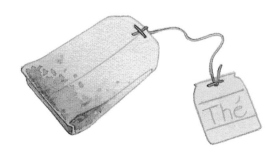

le sachet
de thé ▪ le sachet
de thé

le lait ∎ *le lait*

les céréales ∎ *les céréales*

le chocolat ▪ le chocolat

la tarte ▪ la tarte

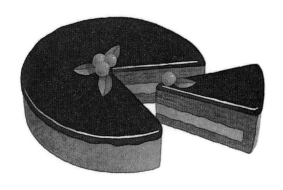

le gâteau ■ *le gâteau*

les crêpes ■ *les crêpes*

le sucre ■ *le sucre*

le bonbon ■ *le bonbon*

la sucette ■ *la sucette*

la glace ■ *la glace*

le pain ■ *le pain*

le beurre ■ *le beurre*

le riz ∎ *le riz*

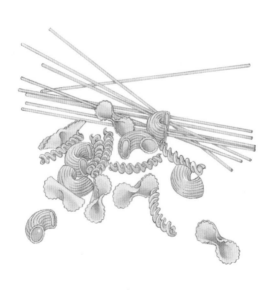

les pâtes ∎ *les pâtes*

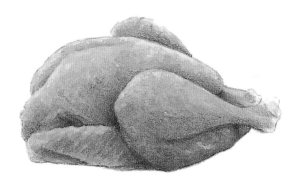

le poulet ▪ *le poulet*

la viande ▪ *la viande*

le fromage ▪ *le fromage*

les frites ▪ *les frites*

le pâté ▪ *le pâté*

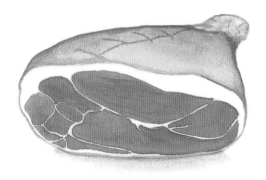

le jambon ▪ *le jambon*

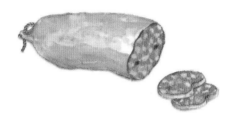

le saucisson ▪ *le saucisson*

les saucisses ▪ *les saucisses*

le sel  le sel

le poisson ■ le poisson

la crevette  la crevette

l'œuf ▪ l'œuf

le citron ■ le citron

la mandarine ■ la mandarine

l'orange ■ *l'orange*

la banane ■ *la banane*

la poire ▪ *la poire*

la cerise ▪ *la cerise*

la fraise ■ *la fraise*

la pomme ■ *la pomme*

l'abricot  *l'abricot*

la pêche  *la pêche*

le kiwi ∎ *le kiwi*

l'ananas ∎ *l'ananas*

la prune ▪ *la prune*

le melon ▪ *le melon*

le raisin ▪ *le raisin*

la framboise ▪ *la framboise*

la noix ▪ *la noix*

la noisette ▪ *la noisette*

le concombre ▪ *le concombre*

le cornichon ▪ *le cornichon*

le radis ▪ *le radis*

la carotte ▪ *la carotte*

la salade ▪ *la salade*

le poireau ▪ *le poireau*

l'ail ▪ *l'ail*

l'oignon ▪ *l'oignon*

le champignon ∎ le champignon

le persil ∎ le persil

la pomme
de terre ▪ la pomme
de terre

les petits pois ▪ les petits pois

l'artichaut  l'artichaut

la tomate ▪ la tomate

le haricot ▪ le haricot

l'aubergine ▪ l'aubergine

le chou ■ le chou

le chou-fleur ■ le chou-fleur

le poivron ▪ le poivron

le potiron ▪ le potiron

La nature

les étoiles ∎ *les étoiles*

la lune ∎ *la lune*

le soleil ■ *le soleil*

l'arc-en-ciel ■ *l'arc-en-ciel*

la jonquille ▪ *la jonquille*

l'anémone ▪ *l'anémone*

la jacinthe ▪ *la jacinthe*

la tulipe ▪ *la tulipe*

le pétunia ∎ le pétunia

l'iris ∎ l'iris

le cactus ■ le cactus

le chardon ■ le chardon

le bleuet ■ le bleuet

la marguerite ■ la marguerite

la pâquerette ▪ *la pâquerette*

le coquelicot ▪ *le coquelicot*

le géranium ▪ *le géranium*

l'œillet ▪ *l'œillet*

la pensée ■ *la pensée*

la rose ■ *la rose*

le muguet ∎ *le muguet*

la violette ∎ *la violette*

le mimosa ▪ *le mimosa*

le houx ▪ *le houx*

la mûre ■ *la mûre*

le gland ■ *le gland*

le marron ∎ *le marron*

la châtaigne ∎ *la châtaigne*

l'arbre ■ *l'arbre*

la feuille ■ *la feuille*

la branche ■ la branche

l'écorce ■ l'écorce

le chêne ■ le chêne

le bouleau ■ le bouleau

le sapin ■ *le sapin*

le marronnier ■ *le marronnier*

l'épi de maïs ▪ l'épi de maïs

l'épi de blé ▪ l'épi de blé

Les animaux d'ici

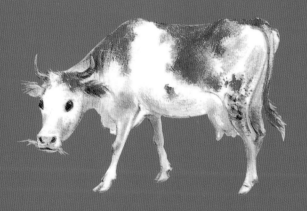

les oisillons ■ *les oisillons*

la pie ■ *la pie*

le pigeon ■ le pigeon

le corbeau ■ le corbeau

le moineau ▪ *le moineau*

le merle ▪ *le merle*

l'hirondelle ▪ *l'hirondelle*

la mésange ▪ *la mésange*

l'escargot ■ *l'escargot*

le ver de terre ■ *le ver de terre*

la limace ∎ la limace

le lézard ∎ le lézard

la vipère ▪ *la vipère*

le crapaud ▪ *le crapaud*

la grenouille ■ *la grenouille*

la tortue ■ *la tortue*

la souris ∎ *la souris*

le chat ∎ *le chat*

le chien ∎ le chien

le lapin ∎ le lapin

la vache ▪ *la vache*

le cheval ▪ *le cheval*

l'âne ▪ l'âne

le poney ▪ le poney

le mouton ▪ *le mouton*

la chèvre ▪ *la chèvre*

le canard ▪ le canard

le caneton ▪ le caneton

le cochon ■ *le cochon*

la poule ■ *la poule*

le poussin ▪ *le poussin*

le coq ▪ *le coq*

l'oie ∎ *l'oie*

le cygne ∎ *le cygne*

le hibou ■ le hibou

le pivert ■ le pivert

l'écureuil ■ l'écureuil

le hérisson ■ le hérisson

le lièvre ■ *le lièvre*

le renard ■ *le renard*

le sanglier ∎ *le sanglier*

la biche ∎ *la biche*

le cerf ∎ *le cerf*

l'ours ∎ *l'ours*

le loup ■ *le loup*

l'aigle ■ *l'aigle*

la marmotte ■ *la marmotte*

le castor ■ *le castor*

la mouette ∎ *la mouette*

le crabe ∎ *le crabe*

l'étoile de mer ▪ l'étoile de mer

la sardine ▪ la sardine

la guêpe ∎ *la guêpe*

la mouche ∎ *la mouche*

le moustique ∎ *le moustique*

la fourmi ∎ *la fourmi*

l'abeille ▪ *l'abeille*

l'araignée ▪ *l'araignée*

la libellule ▪ *la libellule*

le papillon ▪ *le papillon*

la coccinelle ▪ *la coccinelle*

la sauterelle ▪ *la sauterelle*

Les animaux d'ailleurs

la cigogne ▪ la cigogne

le pélican ▪ le pélican

l'hippopotame ■ *l'hippopotame*

le rhinocéros ■ *le rhinocéros*

le zèbre ■ *le zèbre*

la girafe ■ *la girafe*

la gazelle ▪ la gazelle

le lion ▪ le lion

le panda ▪ *le panda*

le paresseux ▪ *le paresseux*

le koala ∎ *le koala*

le caméléon ∎ *le caméléon*

l'éléphant ■ *l'éléphant*

le singe ■ *le singe*

le perroquet ■ *le perroquet*

le crocodile ■ *le crocodile*

l'autruche ■ *l'autruche*

le kangourou ■ *le kangourou*

le chameau ∎ le chameau

le dromadaire ∎ le dromadaire

le tigre ∎ *le tigre*

la panthère ∎ *la panthère*

le jaguar ▪ *le jaguar*

le boa ▪ *le boa*

la baleine ∎ la baleine

le dauphin ∎ le dauphin

le requin ■ le requin

le phoque ■ le phoque

le pingouin ▪ *le pingouin*

le manchot ▪ *le manchot*

Les engins

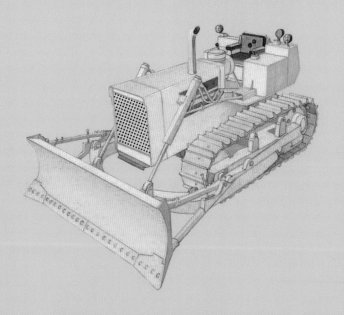

la charrue ▪ *la charrue*

la moissonneuse-
batteuse ▪ *la moissonneuse-
batteuse*

le tracteur ▪ *le tracteur*

le camion-
citerne ▪ *le camion-
citerne*

la pelleteuse ▪ *la pelleteuse*

la grue ▪ *la grue*

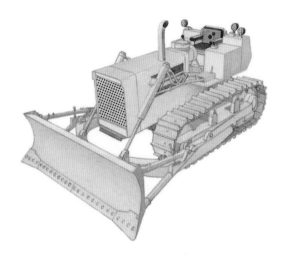

le bulldozer ▪ le bulldozer

le camion-
benne ▪ le camion-
benne

le camion-
poubelle ▪ *le camion-
poubelle*

l'ambulance ▪ *l'ambulance*

le camion
de pompier

*le camion
de pompier*

le camion
de police

*le camion
de police*

la voiture  *la voiture*

la moto *la moto*

le scooter ▪ *le scooter*

la bicyclette ▪ *la bicyclette*

l'autobus ▪ l'autobus

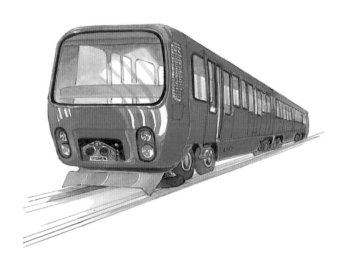

le métro ▪ le métro

le train à
grande vitesse

*le train à
grande vitesse*

le wagon *le wagon*

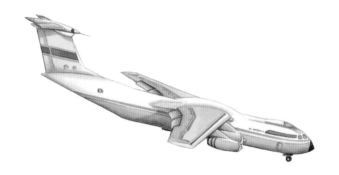

l'avion ▪ l'avion

la montgolfière ▪ la montgolfière

l'hélicoptère ▪ *l'hélicoptère*

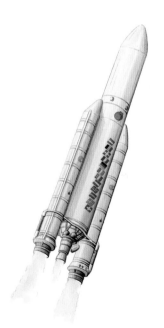

la fusée ▪ *la fusée*

le bateau
pneumatique ▪ *le bateau pneumatique*

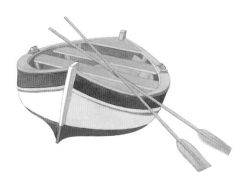

la barque ▪ *la barque*

le voilier  le voilier

le paquebot *le paquebot*

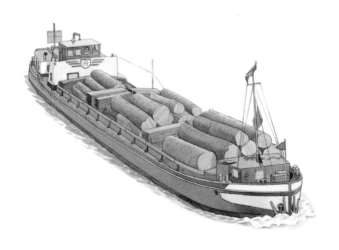

la péniche ▪ *la péniche*

le pétrolier ▪ *le pétrolier*

le bateau
de pêche ■ *le bateau
de pêche*

le sous-marin ■ *le sous-marin*

Index

Imprimé en Chine par SCP
Éditions Flammarion (L.01EJDN000114.C005) - Dépôt légal : janvier 2007
Loi n° 49-956 du 16 juillet 1949 sur les publications destinées à la jeunesse